Fabienne Blanchut • Camille Dubois

La soirée pyjama des Coquinettes

DEUX COQS D'OR

Aujourd'hui, c'est samedi et Phulan a invité toutes ses copines à une soirée pyjama. Il y aura Lili, Nova, Lou, Jade, Clara et Margaux. Au milieu de la chambre, papa a installé une tente qui ressemble à un palais des Mille et Une Nuits.

Une à une, les Coquinettes arrivent.
Enfin, la petite bande est réunie. La première mission est d'écouter de la musique tout en se déguisant. Jade, Margaux, Lili, Clara, Lou et Phulan se précipitent vers la malle qui contient les costumes.

« Moi, je me déguise en princesse,
dit Lili qui a déjà attrapé la robe rose avec les paillettes.
– Moi, je veux la tenue de cow-boy, dit Lou qui déteste les déguisements de filles.

– Il y a encore une robe indienne ici, tu la veux, Clara ? »
questionne Phulan qui est en train de se mettre
un point rouge sur le front. « On serait les princesses
des Mille et Une Nuits. »

Mais comme d'habitude, Clara rouspète car elle voulait
le déguisement de rockeuse que Nova a déjà sur le dos.
Toutes déguisées, les fillettes dansent et s'amusent
comme des petites folles.

C'est le moment que choisit Sasha, la petite sœur de Phulan, pour venir les embêter. Phulan se fâche tout rouge :

Sasha, tu avais promis de nous laiss tranquilles...

... je vais appeler maman.

« Oh là là, je suis bien contente d'être fille unique, déclare Nova en faisant une énorme bulle de chewing gum.

– J'ai faim, dit soudain Jade. Je descends voir ce que la maman de Phulan nous a préparé à grignoter !
– On joue aux Barbies ? demande Lili.
– C'est nul, répond Lou, moi je vais faire des glissades dans le couloir ! »

Sasha est en admiration devant Lou à chacun de ses passages
en chaussettes. Flizzzzzzzz ! Flazzzzzzz !
« Ça glisse trop bien dans ton couloir ! crie Lou à Phulan.

– Mais tu risques de te casser le bout du nez », réplique la maman de Phulan qui remonte, suivie de Jade, les bras chargés de nourriture !

La petite Sasha est priée d'aller se coucher et de laisser les grandes en paix.

Assises sur des coussins, les filles dévorent de la pizza
et des chamallows grillés, et se font des confidences.
Bientôt, la maman de Phulan est de retour
et annonce qu'il est temps de se mettre en pyjama.
« Déjà ! » soupirent les sept fillettes en chœur.

« On se raconte des histoires d'horreur qui font peur ? »
demande Lou d'une petite voix.
Phulan et Lili, les plus trouillardes, serrées l'une contre l'autre
sur les matelas, en frissonnent d'avance.

« Je connais une histoire à faire mourir de peur, dit Clara avec
une voix grave. Ça se passe la nuit, en plein hiver dans un
chalet à la montagne. Une petite fille attend le retour de ses
parents partis manger une raclette chez les voisins. Soudain,
elle entend gratter derrière la porte...

– La petite fille croit que c'est son chien, continue Clara…
Scratch… Scratch…
…sauf que son chien est mort l'année dernière…
– Arrête, j'ai la trouille, gémit Lili.
– Le bruit vient du placard… », pleurniche Jade, la tête enfouie
sous l'oreiller.

Munies d'une lampe de poche, Nova et Lou, les plus courageuses, se lèvent... Elles ouvrent la porte du placard.

Un fantôme se dresse tout droit devant elles.

« aaaaaaaaaah!! »

hurlent les sept fillettes mortes de peur !

« C'est quoi ce raffut ? » questionnent les parents de Phulan en déboulant dans la chambre...

Mais aucune des fillettes n'a le courage de répondre. Lili est tapie sous la couette, Nova est perchée sur une chaise, Clara est cachée dans le coffre à jouets, Lou a un coussin sur la tête, il y en a deux réfugiées sous le bureau... Quant à Sasha, la voilà à nouveau en pleine forme...

Scratch... Scratch...

fait encore le
fantôme du placard.

Drôle de fantôme en réalité ! C'est Albus, le furet de la maison
qui s'est échappé de sa cage. Il s'est emberlificoté dans
un des tops de Phulan. Le fou rire gagne toute la chambre.

« Je savais que c'était Albus, dit Phulan, visiblement soulagée.
– Et moi, j'ai même pas eu peur ! affirme Nova qui rejoue la scène.
– Moi non plus », affirme Margaux qui se fait traiter
de menteuse par Clara.

« Allez, ça suffit maintenant. Tout le monde se recouche », dit maman en emmenant Albus.

Les Coquinettes sont enfin allongées...
« Si on se racontait plutôt des histoires
de princesses ? » marmonne Lili.

Une soirée pyjama c'est toujours extra,
parole de **Coquinettes!**

Nova

Lili

Lou

Jade